Billy Stuart
La mer aux mille dangers

billystuart.com

Catalogage avant publication de Bibliothèque et Archives nationales du Québec et Bibliothèque et Archives Canada

Bergeron, Alain M.

La mer aux mille dangers

(Billy Stuart ; livre 3)
Pour enfants de 8 ans et plus.

ISBN 978-2-89435-562-6

I. Sampar. II. Titre. III. Collection: Bergeron, Alain M. Billy Stuart ; livre 3.

PS8553.E674M469 2012 jC843'.54 C2011-942769-9
PS9553.E674M469 2012

Éditrice: Colette Dufresne
Graphisme: Marie-Ève Boisvert, Éditions Michel Quintin

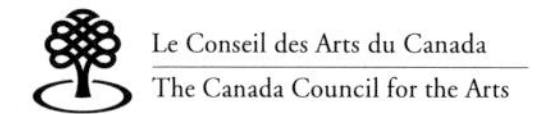

La publication de cet ouvrage a été réalisée grâce au soutien financier du Conseil des Arts du Canada et de la SODEC. De plus, les Éditions Michel Quintin reconnaissent l'aide financière du gouvernement du Canada par l'entremise du Fonds du livre du Canada pour leurs activités d'édition.

Gouvernement du Québec – Programme de crédit d'impôt pour l'édition de livres – Gestion SODEC

ISBN 978-2-89435-562-6

Dépôt légal – Bibliothèque et Archives nationales du Québec, 2012
Dépôt légal – Bibliothèque et Archives Canada, 2012

Éditions Michel Quintin
C.P. 340, Waterloo (Québec)
Canada J0E 2N0
Tél.: 450 539-3774
Téléc.: 450 539-4905
editionsmichelquintin.ca

1 2 - W K T - 1

Imprimé en Chine

Billy Stuart
La mer aux mille dangers

Livre 3

Texte : Alain M. Bergeron
Illustrations : Sampar

ÉDITIONS
MICHEL
QUINTIN

Billy Stuart
Foxy
Yéti
Les Zintrépides
Galopin
Muskie
FrouFrou

Billy Stuart n'est pas l'Élu avec un grand É. Il ne chevauche pas un ours polaire. Il ne porte pas d'anneau à son doigt ni à son oreille. Dans ses tiroirs, il ne cache pas de collections de masques ou de pierres. Il n'a pas de daemon qui marche à ses côtés depuis sa naissance. Son front n'est pas zébré d'une cicatrice.

Bref, le sort du monde ne repose pas sur ses frêles épaules.

Billy Stuart n'est qu'un jeune raton laveur ordinaire à qui sont arrivées des aventures extraordinaires.

Voici la troisième histoire qu'il m'a racontée.

Alain M. Bergeron

Un 22 juin dans la ville de Cavendish

MOT DE L'AUTEUR

Cher lecteur, je me présente : Je suis Alain M. Bergeron, l'auteur à qui Billy Stuart a raconté ses nombreuses aventures.

Au fil des pages, tu le remarqueras, il m'arrive d'ajouter mon grain de sel directement dans la narration faite par Billy Stuart, afin de :

A) préciser davantage un point ou une information ;
B) rajouter un commentaire personnel ;
C) m'amuser ;
D) l'ensemble de ces réponses.

Ma présence dans ce livre et les suivants se fait par l'intermédiaire du « Mot de l'auteur ». Tu repéreras facilement ces interventions grâce à l'encadré qui ressemble à une note collée dans la page.

Voilà. Tu peux commencer ta lecture.

Et je signe ce mot de l'auteur :

AM.B (Tu devines pourquoi, non ?)

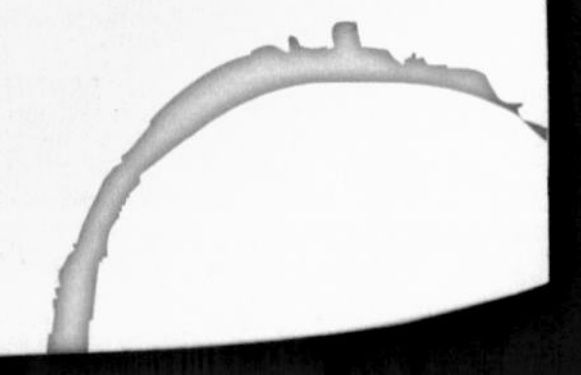

RÉSUMÉ

Billy Stuart s'est engagé à prendre soin de Frou-Frou, le chien des MacTerring, durant tout l'été. Les mois de juillet et d'août ne s'annoncent pas très excitants pour lui, jusqu'au jour où il reçoit une lettre de son grand-père Virgile. Celui-ci prétend avoir découvert, dans une grotte, un passage qui lui permettrait de voyager dans le temps. Billy Stuart se lance sur ses traces, accompagné des membres de la meute des Zintrépides… et du chien FrouFrou. Ce qu'ils ignorent, c'est qu'une fois cette voie franchie, il n'y a plus moyen de revenir en arrière…

Après avoir réussi à s'échapper des griffes du terrible Minotaure et à trouver miraculeusement le chemin de la sortie du Labyrinthe, Billy et ses amis sont montés à bord d'un navire qui vogue directement… vers une tempête, sur la mer aux mille dangers!

La tempête

Ce serait trop bête…

Désolé d'intervenir si tôt dans le récit, mais notre héros, Billy Stuart, a raison. L'aventure a mené Billy Stuart et sa bande dans le Labyrinthe hanté par le Minotaure. Après être parvenus à fuir le monstre et à trouver la sortie, les Zintrépides ont pris le large à bord d'un navire. Maintenant, un nouveau danger surgit à l'horizon : une tempête se dresse sur leur chemin. Effectivement, ce serait trop bête que ça se termine déjà, après avoir traversé tout ça.

Accoudés sur la rambarde, nous observons le spectacle qui se déploie au loin : une énorme masse nuageuse, SOMBRE et MENAÇANTE décharge des éclairs dans la mer. Le bruit du tonnerre roule sur l'onde et nous ébranle. Je demande au capitaine :

— Y a-t-il un moyen de contourner l'orage ?

ÇA VEUT DIRE OUI!
NON, ÇA SIGNIFIE LE CONTRAIRE...

FAUDRAIT VOUS DÉCIDER!

POUR QUELQU'UN DONT LES YEUX NE REGARDENT JAMAIS AU MÊME ENDROIT EN MÊME TEMPS, IL FAUT AVOIR DU FRONT POUR DIRE ÇA!
DU CALME!
OUAF!
OUAF!
OUAF!

UN MOT DE PLUS, ET TU SUBIRAS LE SUPPLICE DE LA PLANCHE...

DÈS QU'IL EST QUESTION DE TON CHIEN, TU ES AUX ABOIS, BILLY STUART!

CE N'EST PAS MON CHIEN... DOIS-JE LE RÉPÉTER?

NOUS NE POUVONS DÉVIER DE NOTRE ROUTE...

POURQUOI NE PAS RENTRER AU PORT MON FRÈRE?
IL EST TROP TARD... LA TEMPÊTE NOUS AURA REJOINTS D'ICI PEU...

Loslobos dit vrai : les **NUAGES** qui, il y a moins d'une heure, pointaient au-dessus de la mer se sont considérablement avancés. Ils masquent le soleil qui en est à sa mi-course en après-midi. Le vent se lève et le délai entre l'ÉCLAIR et le coup de TONNERRE est de plus en plus court.

On peut calculer en secondes la distance qui sépare la vue de l'éclair et le son du tonnerre. Le son se déplace à 340 mètres à la seconde. Il suffit donc de compter le nombre de secondes entre l'éclair et son bruit, puis de le diviser par trois. Par exemple, si le tonnerre met neuf secondes à atteindre nos oreilles, on divise par trois et on peut évaluer que l'éclair est tombé à environ trois kilomètres. Eh oui, ce serait une bonne idée de courir vers un abri...

AMENEZ LA VOILE!!!
ET NOUS?

CRAMPONNEZ-VOUS SI VOUS NE VOULEZ PAS ÊTRE PROJETÉS DANS LA MER...

RENTREZ LES RAMES!

NOUS N'Y ÉCHAPPERONS PAS...

OUI, CE SERAIT TROP BÊTE DE FINIR AINSI...

DRÔLES DE TÊTES !

AVEC TON DOIGT, TROUVE LES COMBINAISONS SUIVANTES. CHERCHE À LA VERTICALE, À L'HORIZONTALE ET EN DIAGONALE.

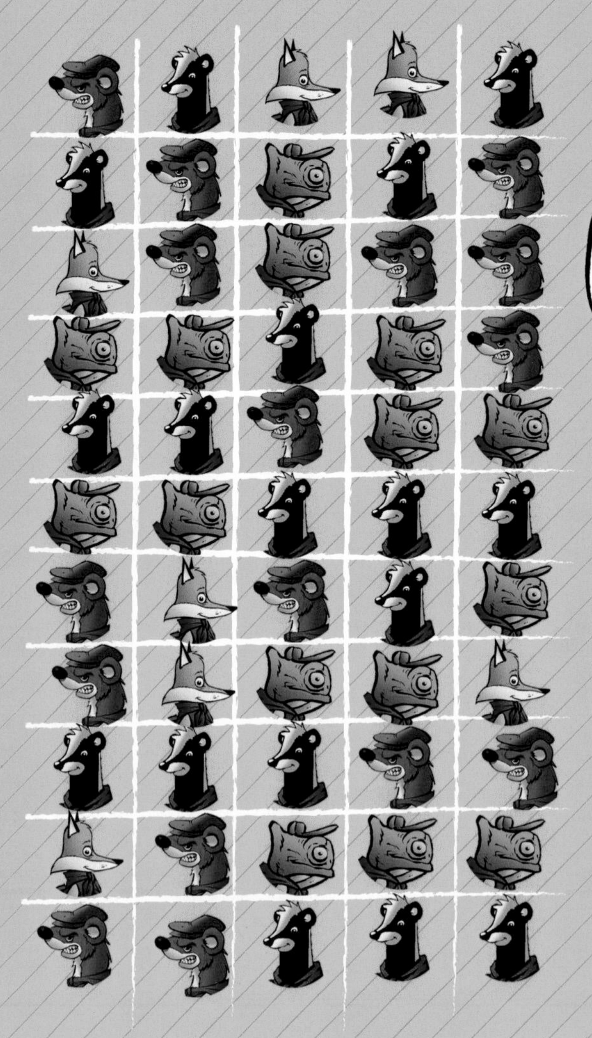

1

2

3

4

ATTENTION DE NE PAS PERDRE LA TÊTE !

Solution à la page 140

Cheimophobie

Au fur et à mesure que se rapproche la tempête, je deviens de plus en plus nerveux. Si je le pouvais, j'irais me cacher sous une chaise dans la cabine du capitaine. Je m'enfournerais du **brocoli** dans les oreilles pour ne pas entendre le bruit assourdissant du tonnerre. De toute façon, c'est là la seule utilité du brocoli ! **BEURK !**

Ma mère, à l'occasion selon elle, trop souvent selon moi, me force à en manger. Elle affirme que c'est bon pour la santé, même si chaque fois je vire au **vert** comme ce légume.

Billy Stuart a continué à discourir sur les non-vertus du brocoli. Je lui ai rappelé que le brocoli était un « héros parmi les légumes » en raison de sa valeur nutritive ; à poids égal, le brocoli contient deux fois plus de vitamines que l'orange. À cela, il a rouspété : « Boiriez-vous un jus de brocoli pour entamer la journée ? » Hum... Ça exige réflexion. Fin du mot de l'auteur et on retourne à l'orage qui sévit.

Oui, l'orage… Sur le bateau, je découvre à ce moment que j'ai vraiment **peur**. J'angoisse devant cette **TEMPÊTE** qui **fonce** sur nous. Probablement un écho de l'épisode qui nous a conduits à la grotte de Roth.

Comble de malchance pour Billy Stuart, un orage a éclaté sur la ville de Cavendish lors de notre dernière rencontre. J'ai pu constater les effets du tonnerre sur notre ami. Il tremblait. Il était nerveux. Au moindre éclair, il rentrait la tête, comme si cela pouvait lui servir à éviter la foudre. Remarquez, si quelqu'un peut le comprendre, c'est bien moi... Ce jour-là, nous avons convenu, nous, les deux cheimophobes (qui ont une peur exagérée des orages), de poursuivre l'entrevue dans un placard.

Un fracas de tonnerre me fait sursauter. Je claque des dents. Je grimperais aux rideaux, s'il y en avait. J'en frissonne des pieds à la tête. J'ai le **poil hérissé**.

— Eh, Billy Stuart ! Tu as l'air de sortir de la sécheuse ! s'écrie Foxy, en riant.

Je boude… **Je suis froissé !**

Quelle idée stupide de partir sur les traces de mon grand-père Virgile ! Mais maintenant qu'on y est, ce n'est pas le moment de flancher. Je dois montrer l'exemple.

Je tente de me rassurer en me souvenant que si je vois l'ÉCLAIR et que j'entends le tonnerre, c'est que je n'ai pas encore été frappé par la foudre.

PANIQUE TOTALE…

J'observe les gens autour de moi. Ils semblent davantage préoccupés par l'assaut des vagues, de plus en plus violent, que par la multiplication des éclairs qui zèbrent le ciel.

Je m'accroche à un mât et je ferme les yeux. Si je le pouvais, je fermerais aussi mes oreilles pour que cesse le vacarme. Peine perdue : même avec mes paupières closes, la lumière fulgurante de l'éclair m'éblouit. Je rouvre les yeux.

Une épouvantable **SECOUSSE** ébranle le navire, suivie d'une énorme vague qui déferle sur le pont et renverse plusieurs membres de l'équipage.

— Un homme à la mer ! crie une voix.

Aussitôt, le matelot rectifie :

— Pas un homme !

Un renard à la mer !

Un renard ? Foxy !

Elle est tombée à l'eau !

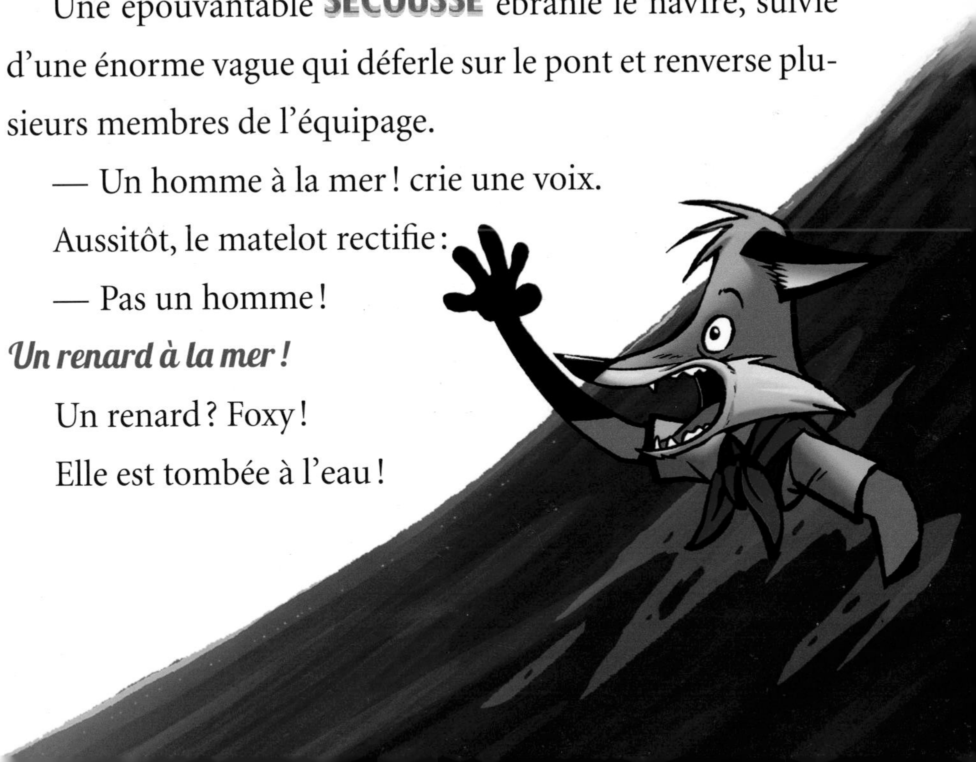

LE DÉFI DU MARCHAND

Billy Stuart veut acheter NEUF ÉCREVISSES au chocolat.

Le marchand de la Confiserie de Cavendish lui lance un défi :

– Regarde bien, Billy Stuart. Toutes les écrevisses que tu vois là ont un poids identique, sauf une qui est plus lourde que les huit autres. Si tu découvres laquelle, je te les donne toutes. Mais attention, pour réussir tu ne pourras utiliser la balance que deux fois.

Billy s'en lèche déjà les babines ! Il sait ce qu'il doit faire pour remporter le gros lot. Et toi, le sais-tu ?

Solution à la page 140

Une renarde à la mer!

Au diable la peur du tonnerre. Foxy est en pleine mer. Elle s'efforce de se maintenir à la surface de l'eau. Parfois, elle est engloutie sous une vague qui se brise sur elle.

— Jetez-lui un câble! ordonne le capitaine.

Sa sœur, Timorée, court sur le pont. Elle agrippe d'une main une corde qui traîne au sol. Arrivée à la rambarde, elle la lance une première fois. Trop court! Impossible pour Foxy de la rejoindre.

En vitesse, Timorée ramène le câble et effectue un deuxième essai. Autre échec! *Misère!*

Sans ménagement, Muskie lui enlève la corde des mains et la lance. *Touché!* Bravo!

— Attache-toi, Foxy! crie la mouffette.

Timorée est en furie. Non parce que Muskie a visé juste, mais parce qu'elle a lâché l'autre bout de la corde…

Je suis en colère :

— Enfin, Muskie ! À quoi as-tu pensé ?

— Le câble m'a glissé des mains, Billy Stuart, plaide-t-elle, accablée et penaude.

PLOUF !

— Un petit garçon à la mer ! hurle un matelot.

Aussitôt, l'homme rectifie :

— Pas un petit garçon ! *Une belette à la mer !*

Voilà maintenant Yéti à l'eau. Sauf qu'il n'a pas été emporté par une vague. Il a plongé pour sauver son amie Foxy.

C'est étrange de voir la belette qui fait la nage papillon !

Ballotté comme un **bouchon de liège** par les vagues, Yéti avance avec peine.

Soudain, je réalise que je ne me soucie plus des roulements de tonnerre ou des nombreux éclairs qui risquent de s'abattre sur le bateau. Plus rien ne compte que la détresse de Foxy et de Yéti.

Timorée, elle, ne perd pas une seconde. Elle court chercher une autre corde.

PLOUF !

— ***Un rat blanc à la mer !*** hurle un matelot.

Aussitôt, l'homme rectifie :

— Pas un rat blanc ! Un chien blanc à la mer !

Il ne manquait plus que ça ! FrouFrou a **plongé**, à son tour, pour rejoindre Foxy.

Incrédule devant la situation, je fixe Galopin.

— Tu veux y aller, toi aussi ? Ne te gêne surtout pas.

Une **VAGUE ÉNORME** secoue le navire et le fait pencher dangereusement sur le côté. Des marins chutent à la mer. Muskie, Galopin et moi, agrippés à la rambarde, évitons de peu de passer par-dessus bord.

Où sont nos amis?

Yéti et le chien ont réussi, je ne sais trop comment, à rattraper Foxy. Ou peut-être est-ce le contraire ? Peu importe. Les trois Zintrépides à l'eau se sont rapprochés du vaisseau. Mieux, ils ont mis le grappin sur deux rames et s'y accrochent pour ne pas sombrer.

Des rames ? L'ordre du capitaine Loslobos, de rentrer les rames, n'a pas été entendu. C'est terrible ! Le bateau a perdu toutes ses rames !

Timorée, avec précision, atteint la cible avec la corde. Foxy la saisit tandis que Yéti attrape le collet du caniche pour ensuite empoigner fermement le bras de la renarde.

La sœur du capitaine, avec notre aide, hisse le trio à bord. L'entreprise est d'autant plus difficile que le navire est secoué de toutes parts par l'assaut des vagues. Foxy ne lâche pas prise. Au bout de longues et pénibles minutes, la renarde, la belette et le chien se retrouvent sains et saufs sur le pont.

— Merci ! Ouf ! On l'a échappé belle ! dit Foxy, avec gratitude.

Mes compagnons **s'ébouriffent** pour chasser l'eau de mer.

— Ah ! s'exclame la renarde. C'est bon être au se…

Une énorme vague l'éclabousse.

— … sec !

Jeu des couleurs

Comme tu sais, notre ami Galopin le caméléon peut adopter les couleurs de son environnement.

Voici trois pots de peinture

Rouge

Jaune

Bleu

Et voici notre ami Galopin placé devant ce mur blanc.

Quelles **couleurs** devrais-je **mélanger** pour peindre mon mur si je veux que Galopin devienne **vert** de peur ?

Quelle **combinaison** devrais-je faire si je veux que Galopin **prenne** la même teinte que cette belle **orange** ?

Quelles **couleurs** devrais-je employer pour avoir un mur et un Galopin tout **mauves** ?

Attention, ne mélange que deux couleurs à la fois.

Solution à la page 141

Le calme après la tempête

Presque aussi soudainement qu'il a éclaté, l'orage se termine. Il s'éloigne, emportant avec lui ses **NUAGES** noirs, ses torrents de pluie, d'éclairs et de coups de tonnerre.

C'est le calme après la tempête.

Nous voguons maintenant sous un beau ciel bleu.

Le capitaine fait le bilan des dégâts subis par son équipage et par son navire durant la tourmente. On déplore la disparition de sept matelots. Il y a aussi eu des pertes matérielles : le gouvernail est en miettes et les rames ont été dispersées en mer. *Qu'allons-nous devenir ?*

Profitons de cette période d'accalmie pour nous remettre de nos émotions et pour nous reposer.

Car visiblement, nous ne sommes pas au bout de nos peines.

Billy Stuart ne croyait pas si bien dire...

C'est vraiment le calme après la tempête...

— C'est *plate*! convient Galopin, étendu sur le pont.

— Tu t'ennuies ? lui dis-je, assis à ses côtés sur un coffre.

Avec l'arrivée du beau temps, il ne s'est pratiquement rien passé. Notre bateau est presque immobile, même si sa voile est déployée.

J'ai l'impression que si la mer était du **CIMENT**, nous serions pris les deux pieds dedans.

Autour de nous, aucun repère, pas une parcelle de terre où accoster.

— Nous avons considérablement dévié de notre trajectoire, admet Loslobos, le regard soudé à l'horizon.

Le maître des esclaves, Ugobos, affiche une mine sombre.

— Les dieux sont puissants, mon capitaine. Ils ont déchaîné les éléments sur nous. Et nous voilà PERDUS au milieu de nulle part, à la merci des **monstres** de la mer.

Loslobos chasse l'idée du revers de la main.

— Balivernes, tout cela. Nous avons essuyé une effroyable tempête et nous avons réussi, malgré tout, à en sortir vivants. Les dieux ne nous ont pas éprouvés, ils nous ont protégés !

Ugobos me jette un **coup d'œil méprisant.** Ensuite, il s'adresse de nouveau à son capitaine :

— C'est la présence des étrangers qui a attiré sur nous les foudres du ciel.

HUM... CELUI-LÀ, JE NE LUI FAIS PAS CONFIANCE. JE DEVRAI L'AVOIR À L'OEIL.

IL POURRAIT NOUS CAUSER DES PROBLÈMES.

Encore une fois, Billy Stuart a des allures de prophète.

Et comme s'il se parlait à lui-même, il poursuit :

— On ignore quand le vent reviendra...

À mes pieds, le chien FrouFrou jappe pour capter mon attention. Il a faim. Foxy s'en occupe. Elle fouille dans son sac et lui donne quelques gâteries.

Je lui recommande de ménager ses provisions.

— On ne sait jamais…

Dans le ciel, le soleil brille de mille feux, un peu comme si une menace planait au-dessus de nos têtes.

Le visage fermé, Ugobos, le maître des esclaves, s'active tout près. Tout cela ne présage rien de bon.

De la grogne...

Sans trop que l'on sache pourquoi, l'ambiance au sein de l'équipage devient malsaine. Plusieurs matelots nous surveillent d'une manière SUSPECTE, nous, les Zintrépides. C'est à croire que nous sommes la source de tous leurs MALHEURS.

Je n'ai pas de preuves, mais je suis persuadé qu'Ugobos est derrière tout ça.

Tout le monde apparaît tout à coup trop à l'étroit sur ce bateau.

Trois jours se sont écoulés, et le vaisseau ne semble pas avoir bougé. Après avoir hurlé des heures durant, le vent s'en est allé souffler ailleurs.

Les provisions sont presque épuisées. La pêche est infructueuse et l'eau douce se fait rare. Une bonne averse serait la bienvenue.

Timorée vient me saluer. Elle caresse la tête du chien, qui s'excite. Ça y est ! Il fait pipi partout !

Je parle à Timorée de mes inquiétudes à propos de l'équipage.

Elle cherche à me rassurer.

— Tant que mon frère sera le capitaine, il n'y a rien à craindre. Les hommes le respectent au plus haut point…

Au même moment, une vive discussion éclate à l'avant du bateau. Loslobos fait face à un groupe de matelots menés par Ugobos. Nous allons les rejoindre.

Ugobos est celui qui parle le plus fort et qui mène la charge.

— Les dieux du vent et de la mer exigent des sacrifices. Il faut combler leurs **DÉSIRS**, sinon nous risquons de provoquer leur colère et de tous mourir ici, loin de nos familles…

Éole est le dieu du vent. Quand on parle des éoliennes, vous savez maintenant d'où vient le mot. Quant à Poséidon, c'est le nom du dieu de la mer. C'est également le nom d'un navire qui, dans un film catastrophe, a été carrément renversé par une vague gigantesque. J'ai vu ce film « L'aventure du Poséidon » et j'en ai été tout retourné…

Dès qu'il évoque les **SACRIFICES**, Ugobos nous désigne, sous le regard approbateur des autres. Le capitaine tient bon.

— **ASSEZ !** Ce ne sont pas des sacrifices qui vont changer quoi que ce soit à notre situation…

— Moi, je dis que oui ! réplique Ugobos.

D'un geste rapide, il se faufile derrière Loslobos et lui plaque son couteau sur la gorge.

Des mutins au matin

La mutinerie matinale était planifiée, parce que dès qu'Ugobos a mis son arme sous la gorge du capitaine, ses hommes se sont emparés de nous et de Timorée. Nous n'avons rien pu faire pour nous défendre.

— Qu'ils y viennent ! Non, mais qu'ils y viennent ! les défie Yéti, projetant ses **PETITS POINGS** dans le vide.

Un matelot le tient à distance par le collet.

— Désolé, capitaine, mais vous ne nous laissez pas le choix, s'excuse Ugobos avec un **SOURIRE MÉCHANT**.

Excité par toute cette action, le caniche bondit sur ses deux pattes arrière autour de nous et jappe joyeusement.

— Imbécile de chien ! lui dis-je dans un murmure. **Déguerpis** ! Saute à la mer !

Pour toute réponse, FrouFrou s'assoit, la gueule ouverte, la langue pendante, attendant la suite des événements.

— Qu'allez-vous faire de nous ? demande Foxy, anxieuse.

— Vous êtes la source de nos **PROBLÈMES**, signale Ugobos. Votre sacrifice apaisera la colère d'Éole et nous épargnera le pire. Merci !

— Tout le plaisir est pour nous, répond la renarde sur un ton sarcastique.

Nous sommes conduits à l'arrière du **NAVIRE** où une planche a été tirée, dont l'une des extrémités se retrouve au-dessus de l'eau.

LE SUPPLICE DE LA PLANCHE...

Il n'y a pas moyen d'en sortir. Les matelots nous surpassent en nombre. Le capitaine et Timorée sont maintenus prisonniers par plusieurs d'entre eux. Et puis, s'enfuir... pour aller où ? Dans la mer ? Ah ! Ces gredins avaient bien planifié leur forfait.

Je ne pense pas que mon grand-père Virgile ait prévu pareille issue pour son petit-fils et pour la suite de notre aventure.

On nous attache les mains dans le dos. La corde gêne ma circulation sanguine.

Ugobos piaffe d'impatience.

— Par qui commence-t-on ?

EN MA QUALITÉ DE CHEF DE LA MEUTE DES ZINTRÉPIDES...

JE VOUS SUGGÈRE DE DEBUTER PAR LE CHIEN...

FRANCHEMENT, BILLY STUART!

C'EST POUR GAGNER DU TEMPS...

NON! LE CHIEN, JE PRÉFÈRE LE MANGER PLUTÔT QUE DE LE VOIR SE NOYER...

CE N'EST PAS PAR GRANDEUR D'ÂME, MAIS PAR GRANDEUR D'ESTOMAC...

QU'ILS Y VIENNENT! NON, MAIS QU'ILS Y VIENNENT!

Lentement, le caméléon monte sur la planche. Il progresse de deux pas, recule d'un, avance de deux pas, recule d'un, cela, jusqu'au bout.

CE N'EST PAS VRAI.
SI! J'AI APERÇU UN OISEAU.
C'EST UN MIRAGE...
OÙ EST PASSÉ LE CAMÉLÉON?

OUF!

OUF?
!!!

NON! PAS OUF! PLOUF! COMME DANS PLOUF! À L'EAU...

VOUS N'AVEZ PAS ENTENDU? IL Y A EU DE L'ÉCHO.
MOI, JE L'AI ENTENDU...
MOI AUSSI!
MOI AUSSI!
OUAF!

AU SUIVANT!

À mon tour

Je n'ai pas voulu faire diversion. J'ai réellement vu un oiseau. Du moins, l'animal avait des plumes et une taille démesurée. C'est sûrement un **OVNI**.

OVNI : Oiseau Volant Non Identifié, que l'on confond régulièrement avec Objet Volant Non Identifié.

Je n'ai rien d'un ornithologue – vous savez, ce spécialiste des oiseaux. Moi, ce que j'apprécie par-dessus tout chez eux, ce sont les œufs ! Miam ! Miam !

— Toi, à la jupe ! Tu es le suivant, m'interpelle Ugobos.

— Ce n'est pas une jupe, monsieur. C'est un kilt.

Grossier personnage !

Je jette un dernier regard à mes compagnons. J'en ai les jambes qui **TREMBLENT** tandis que je marche vers mon destin.

Chemin faisant, je prends garde de ne pas piétiner Galopin, qui est toujours au même endroit. Je me place au bout de la PLANCHE.

Alors que les poils de mon visage sont caressés par un vent doux, je m'écrie :

— Je suis le roi du mooooooooonde !

Réplique célèbre tirée du film « Titanic », du réalisateur canadien James Cameron. Elle est de l'acteur Leonardo DiCaprio, qui interprétait Jack Dawson.

Je lève une jambe et fais mine de sauter.

Le vent sur mon visage ?

Le vent ! Ai-je la berlue ?

Non ! C'est vrai : il vente !

Je me retourne vers Ugobos avec un sourire mesquin.

— Votre dieu, Éole, est apaisé. Voyez ! La voile se gonfle...

D'abord suspicieux, les hommes d'Ugobos constatent que je dis la vérité.

— Oui ! Le vent est revenu ! crient-ils. Nous sommes sauvés !

Ugobos fend la foule et se dirige vers moi. Son but est clair. Il ne me fera pas de quartier, Éole ou pas Éole.

Il n'est plus qu'à un mètre de moi. Je m'indigne :

— Ne faites pas ça ! Éole n'en demande pas plus !

Les dents serrées, Ugobos s'approche encore.

— Je préfère ne pas courir de risque.

Les mains devant, alors qu'il s'apprête à me jeter à la mer, il trébuche. Galopin a étiré la patte. Le patron des mutins perd l'équilibre et chute.

PLOUF !

— Eh ! Regarde où tu vas, toi ! se lamente le caméléon qui retrouve ses **COULEURS** naturelles.

Le vent ne fait pas qu'enfler la voile ; il vient de tourner en notre faveur. Le capitaine Loslobos saisit l'occasion pour reprendre le contrôle du navire. Il s'empare d'un sabre et le pointe vers les membres de l'équipage. Le **REGARD SÉVÈRE**, il impose immédiatement son autorité.

— Matelots, ou vous êtes avec moi et vous demeurez à bord, ou alors vous êtes contre moi et vous tenez compagnie à l'autre…

— AU SECOURS! hurle Ugobos, qui éprouve de la difficulté à maintenir la tête hors de l'eau.

— Fais la planche! lui suggère Galopin.

Les hommes rangent leurs armes. Ils n'ont pas à se consulter.

— Nous sommes avec vous, mon capitaine!

Une bombe!

Si un malheur arrive rarement seul, pourquoi les moments de bonheur ne viendraient-ils pas par paires?

Après avoir regagné la confiance de ses hommes, Loslobos ordonne le repêchage de ce vilain **poisson**, ou **POISON ☠**, qu'est Ugobos.

L'ancien maître des esclaves est fait prisonnier et confiné à la cale.

Le gouvernail a été réparé et, grâce au vent qui souffle avec générosité dans la voile, nous mettons le cap vers l'est.

Et il n'a fallu que quelques heures pour qu'une pluie fine permette de renflouer les provisions d'eau douce.

Enfin, comble de chance, le navire a croisé un important banc de poissons. La pêche a été miraculeuse. Les matelots ont attrapé des prises *looooooongues* comme ça!

Tout va bien, donc.

Tout va très bien…

Tout va trop bien…

Non pas que Billy Stuart soit pessimiste, loin de là. Sauf qu'il convient de rappeler le titre de cette histoire : « La mer aux mille dangers ». Or, à ce stade-ci, arrivé presque au nombril du récit, on les compte sur les doigts de la main, les dangers…

La routine reprend son cours à bord du vaisseau, les tensions en moins, l'eau et la nourriture en plus.

Je promène le chien FrouFrou. Foxy me tient compagnie.

— Tu es préoccupé, Billy Stuart, remarque-t-elle.

Je hausse les épaules.

OUI ET NON. LA PAIX EST REVENUE À BORD. JE ME DEMANDE SEULEMENT CE QUE SERA LA SUITE? SOMMES-NOUS ENCORE SUR LES PAS DE MON GRAND-PÈRE? SI CE N'EST PAS LE CAS, COMMENT RENTRERONS-NOUS À LA MAISON?
Et puis...
Et puis quoi?
J'AI L'IMPRESSION QU'UNE MENACE PLANE AU-DESSUS DE NOUS...
PLOUF

Quelque chose d'énorme vient de frapper la surface de la mer près du bateau et nous a douchés complètement. J'ai même avalé de l'eau. Pouah! De l'eau salée!

À LA DERNIÈRE SECONDE, J'AI APERÇU DU COIN DE L'OEIL UN OBJET ASSEZ VOLUMINEUX S'ÉCRASER DANS LA MER...

OBJET VOLUMINEUX... GRRRRRRRR... JE VAIS T'EN FAIRE, MOI, DES OBJETS VOLUMINEUX, BILLY STUART...

CE N'ÉTAIT PAS MUSKIE...
TOUT ÇA, C'EST DE TA FAUTE, BILLY STUART DE MALHEUR!
AAAAAAAAAARK!
UN ROKH!
C'EST UN ROKH!

Un oiseau monstrueux descend vers le vaisseau. Les serres de l'une de ses pattes emprisonnent une grosse pierre. **ATTENTION !** Il la jette en notre direction !

Le rokh nous bombarde !

Aux abris!

Bref retour en arrière: lors de la présumée exécution de Galopin, au supplice de la planche, j'avais crié: « Un oiseau! Là-haut! »…

> La mémoire étant une faculté qui oublie, allez voir au chapitre 6.

Ce n'était **pas seulement** pour créer une diversion et permettre au caméléon de se fondre dans le décor. C'était aussi parce que j'avais réellement aperçu un oiseau. Il me semblait énorme. Puis, il avait volé devant le soleil et avait subitement disparu. Ce n'était donc pas une illusion, un mirage, une hallucination, une création de mon esprit…

Son cri doit être l'équivalent de notre « Lâchez les bombes ! », puisque le monstre vise notre bateau. Si la **PIERRE** frappe le navire, elle le fracassera et nous serons tous condamnés.

Au gouvernail, le capitaine Loslobos effectue une manœuvre d'urgence. Son vaisseau vire lentement vers la **DROITE**.

Je suis persuadé qu'il est trop tard. C'en est fait des aventures de Billy Stuart.

J'appréhende le choc…

PLOUF !

PLOUF ? Quand une grosse pierre heurte une structure de bois, ça fait CRAAAACK ! pas PLOUF !

Loslobos a réussi ! Le rokh a échoué. L'équipage pousse un soupir de soulagement.

Il était moins une…

Privé de munitions, le rokh – qui a l'air d'un aigle de taille colossale, noir comme une corneille – crie sa frustration.

AAAAAAAAAAAAAAARK!

Et il quitte les lieux, en battant vigoureusement des ailes.

Va-t-il chercher de nouvelles pierres pour nous couler ?

— Nous devrions prendre la direction opposée et essayer de mettre plus de distance entre nous.

Loslobos, navigateur d'expérience, n'est pas de notre avis.

— **Suivons-le !** s'écrie-t-il, au gouvernail.

Voyant la mine incrédule de ses hommes, il leur explique que l'oiseau doit nicher sur une île où l'on pourrait accoster.

— Les oiseaux éloignés à ce point du large connaissent la route qui mène à une terre et elle doit être la plus courte possible : c'est la ligne droite. C'est vers là que nous devons nous diriger !

Les éléments jouent en notre faveur. Éole est bon pour nous ; la voile est *tendue au maximum*. Je serais curieux d'établir notre vitesse en nœuds.

Les nœuds sont une unité de vitesse nautique. Un nœud équivaut à un mille marin, soit 1,8 km à l'heure.

Soudain, comme s'il venait de heurter un **BANC DE SABLE**, le bateau s'arrête net. Le choc est violent. Certains sont projetés au sol, d'autres tombent à la mer.

Ouille! Ouille! Ouille!

Je me suis écorché l'épaule en glissant sur le plancher. Galopin, le caméléon aux réflexes fulgurants, a la langue agrippée à un pilier. Il a évité le pire. Foxy, Muskie et Yéti sont pêle-mêle dans un coin.

Je découvre avec effroi que ce que nous avons frappé n'est pas un BANC DE SABLE, malheureusement.

Un tentacule d'une taille gigantesque s'est abattu sur le pont.

Un poulpe à bord!

Yéti ne se possède plus tant il est excité par la monstrueuse apparition.

— Qu'il y vienne! Non, mais qu'il y vienne!

La belette n'hésite pas – dans son cas, ne réfléchit pas – et galope vers l'énorme tentacule.

On pourrait être tenté d'écrire : une tentacule. Ça sonne plus naturel, non? Bien... non, justement! Il faut dire : un tentacule. De la même manière qu'on dit : un trampoline. À l'opposé, on écrit un espace et non une espace, comme dans : Muskie a un large espace entre les deux dents. Je sais, ce n'est pas simple. Prière de consulter le dictionnaire en cas de doute. Ce que j'ai fait, consciencieusement.

PARFOIS, **SOUVENT**, **TOUJOURS** en fait, le courage de Yéti est inversement proportionnel à la taille de ses poings. Il ne craint personne. N'a-t-il pas affronté le Minotaure sur son propre terrain ? Même si l'être mi-homme, mi-taureau ne s'est jamais rendu compte qu'il y avait une belette accrochée à sa cheville.

J'assiste impuissant à la suite des événements. Le tentacule **BALAIE** une partie du pont,

jette trois hommes à la mer, en assomme quatre, en BLESSE cinq. Yéti, en raison de sa taille et de son agilité, réussit à éviter les assauts répétés pour enfin grimper dessus. Comment garde-t-il son équilibre ? C'est probablement parce qu'il est court sur pattes.

La belette galope littéralement sur le tentacule, qui Ondule en mouvements désordonnés. Subitement, il cesse de bouger et s'appuie sur les rebords du bateau. Comme si la créature voulait se hisser hors de l'eau.

Et là, **HORREUR** ! Nous découvrons la bête dans toute sa laideur.

C'est une pieuvre, un poulpe à la tête large et grosse comme… comme… Mais elle est monstrueuse ! Ses autres tentacules emprisonnent le navire.

À moins que la pieuvre (ou le poulpe) n'ait eu un accident, elle compte en tout huit tentacules, soit tout autant que les araignées ont d'yeux et de pattes.

Je crains un CRAQUEMENT SINISTRE, un bruit de destruction qui nous entraînera dans la mer.

La proue, la partie avant du bateau, est soulevée par la pression énorme qu'exerce le poids du poulpe, en poupe (à l'arrière, si vous voulez). Il n'en faut pas plus à Yéti pour tomber directement dans l'œil de notre assaillant. L'œil est si gros que la belette s'y mire de la tête aux pieds !

— **À nous deux !**

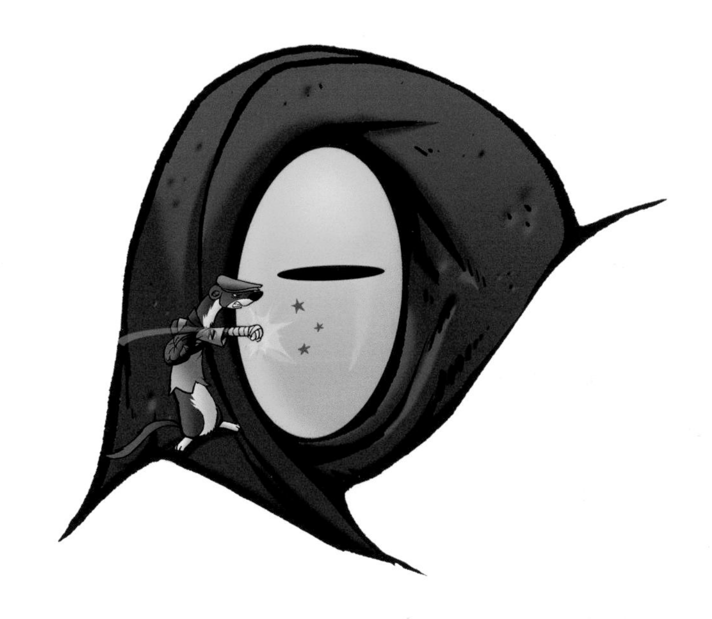

Yéti ferme le poing et **BING!** dans l'œil du monstre!

La suite est inattendue, pour ne pas dire inespérée. Le poulpe lâche le vaisseau et recule afin d'y voir plus clair. Yéti réussit à sauter à la dernière seconde, évitant ainsi le plongeon dans l'eau salée. Libéré du poids de la bête, le navire retombe lourdement.

Nous bénéficions d'un instant de répit.

— À VOS LANCES! hurle le capitaine.

La belette, elle, est déjà prête à un éventuel affrontement.

— Qu'il y vienne ! Non, mais qu'il y vienne, le pulpe !

— Poulpe ! corrige Foxy.

Les matelots, maintenant armés, se préparent à repousser une prochaine attaque.

Mais elle ne proviendra pas de la mer…

AAAAAAAAAAAAAAARK !

Ça parle aux **MILLIONS** d'écrevisses de la rivière Bulstrode !

L'oiseau rokh est de retour, avec deux grosses pierres dans ses serres.

Les choses vont de mal en pis !

Bagarre de monstres

Nous sommes pris entre deux feux. Lequel éteindre en premier ? L'oiseau rokh qui s'amène pour nous bombarder ? Ou le poulpe géant qui revient à la charge pour nous couler ?

On en avait déjà plein les bras avec UN SEUL monstre. En voilà DEUX !

Je comprends, aujourd'hui, comment doit se sentir une écrevisse entre deux ratons laveurs…

Yéti, la belette, n'en demandait pas tant.

Ses yeux vont du poulpe au rokh, du rokh au poulpe. Il court de tous côtés, MULTIPLIANT les invitations.

— Qu'ils y viennent ! Non, mais qu'ils y viennent ! Par qui je commence ?

Constatant que ni l'un ni l'autre ne s'intéresse à lui, Yéti claque des doigts et s'adresse à un matelot :

— **HEP !** Toi, là-bas ! Bats-toi avec moi !

Muskie s'empresse de l'intercepter pour qu'il nous rejoigne.

Serons-nous broyés ou noyés ? Ou les deux ? Laquelle de ces morts est la moins douloureuse ?

AAAAAAAAAAAAAAARK !

Le rokh lance une première pierre et manque heureusement son coup.

PLOUF !

Le projectile a failli écraser le poulpe qui brandit deux tentacules pour protester.

« Ça va pas la tête ? » semble-t-il vouloir signifier.

Les Zintrépides étudient le manège de l'oiseau. Quant au poulpe, son attention est désormais attirée par le comportement du géant à plumes.

Dans quelques secondes, le tir frappera le bateau et c'en sera fini de nous. Les bêtes se disputeront nos carcasses.

Il y a un sifflement, des cris d'effroi, puis un écœurant…

PLOTSCH!

Pas Plouf! Ni Craaaaaaack!

PLOTSCH!

Suivi d'un AAAAAAAAAAAAAAAARK!

Du cri de l'oiseau pointe la satisfaction d'avoir touché la cible. Le vaisseau n'était pas dans la mire du rokh. C'était la pieuvre. Elle a reçu la pierre en pleine poire!

Le poulpe a-t-il été tué ? J'imagine que oui. Le monstre vaincu flotte sur l'eau, inanimé. Qui peut survivre à un pareil impact ?

L'oiseau, toutes serres sorties, fond à la *vitesse de l'éclair* vers sa proie. Lorsqu'il passe au-dessus du poulpe, il l'attrape et poursuit sa course comme s'il transportait un simple **MOUTON**.

— J'espère qu'il aime les fruits de mer, observe Galopin.

— Il faut le suivre ! ordonne le capitaine.

Nous ne devrions pas les perdre de vue en raison de la taille du rokh et de la pieuvre, dont les tentacules pendent dans le vide. Mais ils ne sont pas inertes… Ils bougent ! Le poulpe se met à GIGOTER pour se libérer de l'emprise du rokh. La pierre ne l'a qu'assommé. Au grand malheur de l'oiseau.

Les tentacules saisissent les ailes et les maîtrisent. Incapable de voler, le rokh bascule vers la mer, dans un étrange ballet endiablé.

PLOUF !

Le rokh cherche furieusement à se défaire des tentacules de la pieuvre. Qui sortira vainqueur de ce duel de titans ?

— Ce n'est plus de nos affaires, tranche le capitaine tandis qu'il manœuvre le bateau de façon à s'éloigner du combat.

Foxy n'écoute pas Loslobos. Elle s'empare d'une lance et la projette avec violence sur le poulpe. La pieuvre, atteinte sur le côté de la tête, relâche son étreinte ; l'oiseau en profite pour s'enfuir.

De peine et de misère, le rokh s'envole, non sans jeter un coup d'œil de gratitude vers Foxy.

AAAAAAAAAAAAAAARK!

— De rien ! lui répond-elle.

Yéti, la belette, boude, les bras croisés sur sa poitrine.

Terre!

Ça parle aux millions d'écrevisses de la rivière Bulstrode!

— **TERRE!** Une île! Droit devant!

Les matelots poussent des cris de joie. L'heure est aux célébrations: ils se sautent dans les bras, ils chantent, ils dansent. Quelqu'un entraîne Muskie dans une danse folle. Étourdie, la mouffette s'échappe!

PIIIIIIICH!

Directement sur son pauvre partenaire... Le visage de celui-ci vire du **rouge** au **gris**, puis au **vert** malade. Grimaçant, il court vers la rambarde pour rejeter son repas à la mer.

Les réjouissances sont de courte durée, car la mer devient plus agitée à l'approche de l'île. Pour l'instant, le capitaine doit repérer un endroit où accoster.

Ce bout de terre perdu, on le découvre, n'est pas facile d'accès. Loslobos retient l'unique solution qui se présente à nous : une baie, à l'ouest. Pour l'atteindre, il faudra éviter de nombreux récifs.

— Nous n'avons pas le choix, indique Loslobos à son équipage. Tous à vos postes !

Un matelot, penché à l'avant du navire, s'écrie :

— *Des dauphins !*

Subitement, la mer se calme, l'entrée de la baie ne paraît plus inaccessible. Il semble désormais possible de se frayer un chemin parmi les récifs sans trop de casse. Un banc de dauphins nous accompagne.

Le matelot éclate de rire en désignant la mer devant lui.

— Eh ! Les dauphins nous saluent !

Intrigué, je m'avance jusqu'à eux, suivi des Zintrépides. Sous mes yeux, des dizaines de dauphins agitent la queue, le haut de leur corps toujours dans l'eau. La scène est spectaculaire et curieuse, pour ne pas dire inquiétante.

Je remarque que les queues sont couvertes d'écailles. Pourtant, dans ma mémoire, la peau des dauphins est lisse et non écailleuse comme celle des poissons. Si au moins on pouvait voir leur tête…

Après avoir bondi dans les bras de Foxy – moi, j'ai refusé –, le chien FrouFrou se met à aboyer.

Ouaf ! Ouaf ! Ouaf !

Les dauphins plongent aussitôt au fond de l'eau en ne laissant derrière eux que des remous causés par le battement de leur queue robuste.

— **Bravo, le chien !** lui dis-je, fâché. Tu as effrayé les pauvres dauphins qui voulaient seulement nous guider vers la plage…

Pour toute réponse, FrouFrou frémit de joie, trop heureux que je lui adresse la parole.

— Qu'est-ce que c'est ? interroge une voix étranglée par l'émotion.

Je ne m'étais pas trompé…

Ces créatures sont remontées à la surface et nous envoient la main. Ce ne sont pas des dauphins, ce sont des…

Le chant des sirènes

Tous quittent leurs postes pour venir admirer ces êtres mi-femmes, mi-poissons. Veulent-elles nous conduire en sécurité jusqu'à l'île ?

Yéti, la belette, semble hypnotisé. Sans grande conviction, il lance ses bravades habituelles :

— Qu'elles y viennent ! Non, mais qu'elles y viennent !

Complètement sous le charme, un marin saute à l'eau pour aller les rejoindre. Il est immédiatement encerclé par plusieurs sirènes. L'une d'entre elles, très belle, à la peau BLANCHE et aux longs cheveux **NOIRS**, lui caresse la joue.

La sirène lui tend la main et l'entraîne un peu à l'écart du groupe. Ses voisines étouffent un rictus.

— Ce n'est pas normal, murmure Foxy, pas du tout enchantée.

— C'est parce que tu es jalouse, lui glisse Galopin, qui a viré au **rouge tomate**.

Le matelot qui nage maintenant avec peine est soutenu par la sirène qui l'accompagne et lui tient fermement la main.

Brusquement, elle s'enfonce dans l'eau avec lui.

Je retiens mon souffle ! **CINQ** secondes. **DIX** secondes. **QUINZE** secondes.

L'homme n'émerge toujours pas. Chaque nouvelle seconde qui passe me fait craindre le pire.

— Respire, Billy Stuart ! me recommande Muskie.

Je ne m'étais pas rendu compte que j'avais cessé de respirer. Je commençais à avoir le vertige et je me demandais pourquoi.

Le malheureux, lui, ne remonte pas à la surface. La sirène aux cheveux **NOIRS**, si… Elle affiche l'air de celle qui a accompli sa tâche.

C'est un piège. Le dessein des sirènes est limpide comme l'eau de la mer : elles veulent noyer les membres de l'équipage du vaisseau. Tant que nous restons à bord, il n'y a pas de danger. Elles ne peuvent pas sauter sur le pont.

Horrifiés par ce qui vient d'arriver à leur compagnon, les matelots prennent les armes. Ils doivent se défendre et chasser les sirènes.

Regroupées près de la sirène aux cheveux noirs, qui doit être leur chef, les sirènes demeurent silencieuses. Puis d'un commun accord, elles se dispersent autour du bateau.

Comment font-elles pour communiquer ? Par télépathie ?

La télépathie est une façon de communiquer par la pensée, c'est-à-dire sans avoir besoin de parler pour se comprendre.

Elles ouvrent la bouche et produisent des sons étranges... Je perçois ici et là des **mmmmmmmmm**... des **iiiiiiiiiiiiii**, des **ooooooooooo**, des **aaaaaaaaaa**... Beaucoup de voyelles, très peu de consonnes.

Leur chant, telle une masse liquide gluante, envahit le navire et l'esprit des hommes. Ceux-ci n'entendent plus que l'appel des sirènes. Ils sont sous le charme, hypnotisés.

On écrit hypnotisés et non hynoptisés. J'avais déjà eu une sérieuse discussion à ce sujet avec un ami, à l'école secondaire. Il s'appelait Alain, lui aussi, ce qui ne constitue pas en soi une marque d'intelligence. Il prétendait que l'on disait : hynoptisés, et moi, le contraire. À court d'arguments, il m'avait conseillé d'aller voir un spychologue...

Je réalise qu'il ne s'agit pas que d'un chant, mais d'une invitation.

Une invitation à les rejoindre.

Parce qu'un autre matelot vient de sauter à l'eau.

Et il est trop tard pour lui.

ANAGRAMMES

En mélangeant les lettres d'un mot, on peut en obtenir un nouveau. Par exemple avec *avril* on fait *rival* et avec *pouce* on fait *coupe*.

Pour répondre à ces devinettes, mélange les lettres du mot en caractère gras.

Elle et ses semblables sont de véritables **reines** des mers. Elles enchantent les marins de leurs voix envoûtantes.

On s'en sert quand le temps est compté comme c'était le cas lors de la **mutinerie**.

C'est ce qu'ont fait les membres de l'équipage quand ils ont vu l'oiseau rokh lâcher une **pierre** sur le bateau.

Foxy n'a pas froid aux yeux. Elle fait preuve d'une **grande** force chaque fois qu'elle doit y faire face.

Solution à la page 141

Le cri

Je l'ai raconté plus tôt : le chant des sirènes envahit le navire et enchante l'esprit des matelots. Mais pas la tête des Zintrépides, encore moins celle de Timorée, la sœur du capitaine.

Nous sommes les témoins uniques de cet horrible sortilège qui frappe tous les hommes à bord. Chaque **PLOUF** nous indique qu'un marin a fait le grand saut...

Le piège tissé par les sirènes se referme sur ce qui reste de l'équipage.

Soudain, le chien FrouFrou hurle :

AOUUUUUUUUUUUUUU!

Les sirènes se taisent. Puis, elles se ressaisissent et reprennent leur chant.

On dirait que le cri du chien a un effet sur ces créatures...

La renarde s'approche du caniche. Derrière nous, Loslobos est secoué de spasmes. Timorée qui n'a plus les mains sur les oreilles de son frère tente de le retenir.

La réaction est fulgurante. Les sirènes arrêtent de chanter. Les matelots sortent de leur torpeur.

Aux hurlements des Zintrépides se joignent ceux de l'équipage. Les hommes ont compris **L'URGENCE** de la situation.

Chassées par le bruit, les sirènes disparaissent.

Répétez avec moi : six sirènes, cessant de seriner sereinement, se sauvent... Dites-le six fois avec des biscuits salés dans la bouche.

LES DEVINETTES

Qui suis-je ?

J'avance en reculant et Billy Stuart ne recule devant rien pour me cueillir.

Qui suis-je ?

J'ai parcouru le monde tout en restant dans mon coin.

Qui suis-je ?

De quelle couleur est Galopin, le caméléon, quand il se regarde dans un miroir ?

Solution à la page 141

Sur la plage

Une fois soustraits à ce danger, les gens à bord procèdent à l'opération repêchage. Certains ont frôlé la mort ; ils n'étaient qu'à quelques pas, ou à quelques brasses d'être ENGLOUGLOUGLOUTIS par les sirènes.

Avouez que, là, Billy Stuart s'est surpassé, non ?

Ayant recouvré ses esprits, Loslobos exprime sa gratitude à sa sœur et aux Zintrépides pour avoir tiré son équipage des griffes des sirènes.

— C'est notre Froufrou d'amour qu'il faut remercier, capitaine lui signale Foxy.

Elle le félicite de nouveau et l'enrobe de déclarations d'amour à en donner la nausée.

OUI, MON BEAU FROUFROU CHÉRI D'AMOUR, QUE JE T'AIME! TU AS ÉTÉ NOTRE SIRÈNE À NOUS.

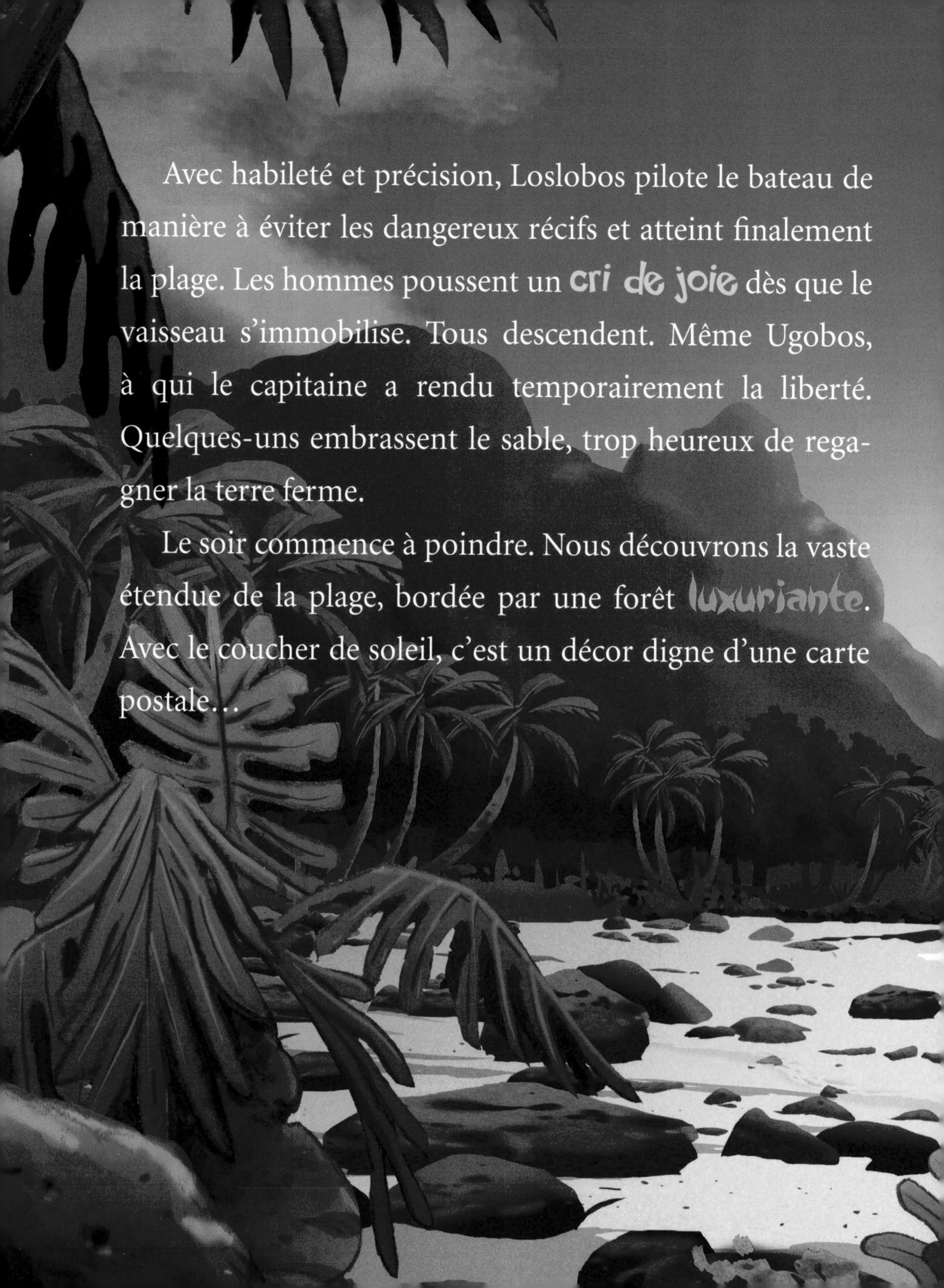

Avec habileté et précision, Loslobos pilote le bateau de manière à éviter les dangereux récifs et atteint finalement la plage. Les hommes poussent un cri de joie dès que le vaisseau s'immobilise. Tous descendent. Même Ugobos, à qui le capitaine a rendu temporairement la liberté. Quelques-uns embrassent le sable, trop heureux de regagner la terre ferme.

Le soir commence à poindre. Nous découvrons la vaste étendue de la plage, bordée par une forêt luxuriante. Avec le coucher de soleil, c'est un décor digne d'une carte postale…

Chers parents,

Comment allez-vous? Ça fait quelques siècles que je n'ai pas donné de nouvelles (une petite blague de voyageurs du temps)!

Ici, c'est beau et chaud, environ trente degrés. En plein jour, par contre, il faudrait courir les endroits frais, parce que, sinon, ce serait insupportable.

À propos d'insupportable, vous direz aux MacTerring, s'ils s'en inquiètent, que leur chien Froufrou est toujours vivant... pour l'instant. Je poursuis le voyage avec mes amis, les Zintrépides.

À la prochaine!

Votre fils,
Billy Stuart

P.-S.: Papa, si j'étais toi, je n'attendrais pas mon retour pour tondre le gazon... Ça risque d'être long...

— Nous sommes sur une île déserte, indique Muskie.

— Elle n'est plus déserte maintenant qu'on y est, remarque Galopin.

Le capitaine annonce que nous explorerons l'île demain, au lever du soleil. Pour le moment, nous installons un camp de fortune pour y passer la NUIT.

Des hommes, dont Ugobos, sont choisis pour aller chercher de la nourriture. Avec des torches enflammées, ils s'enfoncent dans la forêt. Ils réapparaissent au bout d'une dizaine de minutes, les bras chargés de bananes et de noix de coco.

— Vous n'auriez pas découvert une rivière aux écrevisses, PAR HASARD ?

— Contente-toi de ce que tu as, Billy Stuart, me rappelle Foxy devant mon air déçu.

Des **MORCEAUX DE BOIS** sont apportés pour faire un feu. Y a-t-il sur cette île des bêtes sauvages qui risquent de nous attaquer pendant la nuit ? Ou alors, les sirènes pourraient-elles revenir nous enchanter et nous enlever ?

Le capitaine, comme s'il avait lu dans mes pensées, désigne deux de ses hommes pour monter la garde.

Je ne me sens pas très à l'aise de dormir directement sur la plage. J'ai la peau sensible et je crains les **PUCES DE SABLE**. Un jour, lors d'un voyage en Virginie, je me suis étendu sur le sable, à la plage, pour me reposer. Ce sont des chatouillements qui m'ont réveillé… J'étais envahi de puces de sable. Je les voyais grouiller dans mon poil. Un vrai cauchemar !

> Un incident identique est survenu à l'un de mes beaux-frères. Il était poilu comme un singe et il a eu la mauvaise idée de se coucher sur le sable. À son réveil, tout comme Billy Stuart, sa poitrine fourmillait de puces de sable. Il s'épile depuis…

La fatigue et la tension nerveuse des derniers jours me rattrapent. Mes paupières sont lourdes. Résister est inutile. Mes amis dorment profondément. Le caniche ronfle comme un moteur d'avion et ça n'embête personne… même pas moi.

Bonne nuit !

Cliketic… cliketic…

Quel est ce bruit ?

Cliketic… cliketic…

Je me redresse brutalement, les sens en alerte.

Cliketic… cliketic…

Il y a du mouvement pas loin de nous. Je secoue les Zintrépides les uns après les autres pour les tirer de leur sommeil.

— Quoi ? On est déjà le matin, Billy Stuart ? se lamente Galopin, grand dormeur, s'il en est un.

— C'est la LUNE qui est levée, Billy Stuart, pas le soleil, grommelle Muskie.

Cliketic... cliketic...

Les « cliketics » se multiplient.

Des cris d'hommes montent dans la nuit. Plus personne ne dort. Les Zintrépides se regroupent.

Toute la plage paraît remuer sous le sinistre clair de lune.

QU'ILS Y VIENNENT!
NON, MAIS QU'ILS Y VIENNENT!

!!!

IL Y EN A DES DIZAINES!

NON, DES CENTAINES...
DES MILLIERS...

MES COMPAGNONS SONT DANS L'ERREUR.
ÇA PARLE AUX MILLIONS D'ÉCREVISSES DE LA RIVIÈRE BULSTRODE...
ILS SONT DES MILLIONS!

La menace de côté

À la faveur de la fraîcheur de la nuit, les crabes de l'île se sont extirpés de leur cachette sous le sable pour partir à la recherche de nourriture.

En l'occurrence... nous !

Il y en a à perte de vue, ils arrivent de tous les côtés.

Les crabes se déplacent de côté. L'expression *marcher en crabe* signifie marcher de côté.

Nous sommes presque cernés. La *seule issue* possible est la mer. Nous ne pouvons nous réfugier sur notre bateau, situé à une trentaine de mètres de notre position, pas plus que dans la forêt, car les crustacés nous en bloquent l'accès.

Nous faisons front commun avec les membres de l'équipage pour affronter ensemble cette nouvelle menace.

Chacun brandit une TORCHE devant lui pour tenir cette marée de crabes à distance, sinon, nous serions cuits. Le chien FrouFrou a beau japper, cela n'a aucun effet sur eux, contrairement aux sirènes. À la suite de son échec, il s'élance vers moi afin que je le prenne.

— Si tu penses ! lui dis-je sur un ton de reproche et de panique.

— Franchement, Billy Stuart ! proteste Foxy. Viens me voir, mon FrouFrou d'amour, que je t'aime !

Le caniche branle la queue au son de la voix de son amie et trouve refuge dans ses bras.

Cliketic... cliketic...

Le son des carapaces s'entrechoquant est agressant. Je préfère le chant des sirènes, moi.

Avec le feu de sa torche, Timorée brûle des crabes de la première ligne. Une délicieuse odeur de chair rôtie se répand.

Miam ! Miam !

Ne faisant ni une ni deux, je me dépêche de saisir le crabe cuisiné. J'y mords à belles dents.

Crouhch! Crouhch! Crouhch!

— C'est crounchstillant... Pas mauvais du tout. Malgré cela, ça ne vaut pas une écrevisse de la rivière Bulstrode!

Galopin, avec sa longue langue, attrape un minuscule crabe cuit, couché sur le dos.

Crouhch! Crouhch! Crouhch!

— Mmouais, analyse-t-il. Ça se mange, c'est meilleur qu'un scorpion, la queue en moins...

Notre dégustation culinaire est plutôt ironique, étant donné que d'ici quelques minutes, c'est nous qui serons au menu des crabes. C'est un peu comme le repas des condamnés.

Cliketic... cliketic...

Vaincus par le nombre, nous serons dépecés, dévorés, digérés et retournés à la terre...

Déjà, les FLAMMES de nos torches faiblissent. Nous ne pourrons les tenir éloignés encore longtemps. Surtout que les premiers crabes qui s'avancent le font presque contre leur gré, poussés par l'imposante masse grouillante derrière eux.

Cliketic... cliketic...

Commenceront-ils par ma queue ou par mes doigts délicats ? Pas mon museau, j'espère ! Je risque de pleurer !

— Ce serait trop bête, dis-je à Foxy, à côté de moi.

— Trop bête, Billy Stuart ? répète-t-elle.

— Oui, trop bête ! Je ne peux pas y croire. Mourir ainsi après tout ce que l'on a traversé, après avoir bravé les mille dangers de la mer…

D'où le titre de ce livre…

La renarde ne sait trop quoi répondre.

Même Yéti, d'ordinaire prompt à se frotter à un adversaire, demeure muet devant la scène. Les crabes ne sont plus qu'à un mètre de nous. **Je suis terrifié.**

Soudain, les « cliketics » s'arrêtent…

Au-dessus de nos têtes, une gigantesque silhouette noire vient d'occulter la lune. Les crustacés sont figés.

Un cri à glacer les sangs éclate :

AAAAAAAAAAAAAAARK!

Le rokh !

Nous sommes sur son île !

L'allié ailé

— Ça, c'est le bouquet ! soupire Muskie, incrédule à la suite de l'apparition du monstrueux oiseau. Il ne manquait plus que ça. Je parie que les sirènes nous épient dans la mer avec la poulpe…

Je la corrige :

— Le poulpe.

— La poulpe, réplique la mouffette. C'était une femelle.

Et nous voilà repartis. C'est UN poulpe ! Quel est le nom de sa femelle ? Une poulpesse ? Une poulpette ? Une poulpoune ? J'abandounne…

AAAAAAAAAAAAAAARK !

L'oiseau rokh nous rappelle à l'ordre. Il se pose sur la plage, directement sur le tapis de crabes. Son atterrissage produit un dégoûtant bruit de carapaces écrasées.

CRAAAAAAAAAAACK !

Ce qui rime avec le cri du rokh :

AAAAAAAAAAAAAAARK !

Et nous, comme on qualifie ça de dégueulasse, on s'écrie :

BEURK !

L'oiseau va-t-il s'attaquer à nous ?

Pas pour l'instant. D'un coup de bec, il happe au passage des dizaines de crabes qu'il croque ensuite. Il sème la panique parmi les crustacés. Pourvu qu'ils ne viennent pas tous dans notre direction !

Gauchement, les crabes regagnent leur abri dans le sable. Ils s'enterrent rapidement par centaines et centaines.

AAAAAAAAAAAAAAARK !

La bête n'en a pas fini. Cramponnée au sol, elle se met à battre puissamment des ailes, renversant des milliers de crabes pour les repousser vers la mer.

Le monstre nettoie sa plage.

Il ne reste que nous…

L'oiseau tourne la tête pour mieux nous voir. Le clair de lune et le feu mourant lui suffisent à nous identifier. Comme s'il avait repéré quelqu'un, il s'avance vers… Foxy !

— Je peux l'arroser, si tu le souhaites, Foxy, lui suggère la mouffette à voix basse.

— Ce ne sera pas nécessaire, Muskie, lui répond la renarde avec calme.

Sans crainte apparente, elle observe la gigantesque CRÉATURE AILÉE se diriger vers elle. Frou-Frou, dans les bras de Foxy, jappe à l'approche de la bête.

À quelques mètres de la renarde, le rokh s'arrête. Va-t-il lui asséner un coup de bec et la dévorer ? Les membres de l'équipage sont prêts à intervenir. Ils brandissent leurs armes et les TORCHES, bien que vacillantes.

Je m'éclaircis la gorge et je conseille à Foxy :

S'IL DÉSIRE LE CHIEN, DONNE-LE-LUI!

Devant elle, le rokh s'incline majestueusement, réclamant une caresse. La renarde flatte son **gros cou** avec un mélange de respect et de fascination.

— Il te remercie de l'avoir aidé dans sa bataille contre le poulpe, traduit Galopin.

Puis, l'oiseau relève subitement la tête. Il prête l'oreille et décolle avec *grâce* et **vigueur**, soulevant un nuage de sable sous lui.

— On dirait que quelqu'un l'a appelé, s'étonne Foxy en revenant sur ses pas.

En raison de l'éclat de la lune, on peut suivre notre allié ailé tandis qu'il survole la jungle pour ensuite s'évanouir dans l'obscurité, d'où il est venu. Il émet un dernier cri, tel un au revoir.

AAAAAAAAAAAAAAARK!

Le silence retombe sur la plage. Le capitaine Loslobos demande à trois de ses hommes d'aller chercher du bois pour rallumer le feu.

— Des crabes, là ! s'écrie Galopin.

Ils ressortent de leur cachette, maintenant que le rokh a disparu.

AAAAAAAAAAAAAAARK!

Les crabes, apeurés, replongent dans le sable.

Impressionné, je félicite Timorée.

— Belle imitation...

Pour le reste de la NUIT, les crabes sont restés terrés dans leur abri.

L'attaque des crabes m'a rappelé une histoire que j'ai lue, il y a longtemps : « Menace sous la mer » de l'écrivain Henri Vernes. L'illustration de la couverture était saisissante. On y voyait Bob Morane et son ami, Bill Ballantine, enterrés jusqu'aux épaules dans le sable d'une plage. Vers eux s'amenaient des centaines de crabes. En dévorant le livre, j'ai appris que nos héros s'en étaient sortis de façon remarquable avant que les crustacés ne se mettent à table. « Ouais, a dit Billy Stuart, à qui j'ai relaté l'anecdote. Sauf que l'histoire de Bob Morane se passait dans un roman. Nous, c'est dans la vraie vie ! » Que rajouter de plus ?

Le carnet du grand-père Virgile

Cette fois-ci, c'est un cri qui nous tire de notre lit sablé.

AAAAAAAAAAAAAAARK!

Curieux ce cri du coq…

Je réveille les Zintrépides. Le caniche bondit sur ses pattes de derrière, excité à la perspective d'une nouvelle journée, fût-elle sur une île en apparence déserte.

Nous irons rejoindre l'équipage pour le premier repas du naufragé (bananes et noix de coco ; pas d'œufs, de bacon ni de FROOT LOOPS).

— Où sont les toilettes ? demande Foxy, endormie.

Je lui montre la mer d'un côté et la forêt de l'autre.

— Tu as le choix...

La renarde bâille et s'étire.

— Pourquoi se lever à **l'heure des poules** ? On est en vacances, se plaint-elle, en ébouriffant la fourrure de sa queue.

L'heure des poules, c'est assez tôt le matin, merci.

— Attends que je l'attrape, le coq ! se lamente à son tour Muskie.

Je leur signale que le coq était en fait un des matelots qui montaient la garde. Il a imité le cri du rokh pour décourager les crabes de tenter une dernière sortie.

Le capitaine Loslobos regroupe son monde.

— Nous partons explorer l'île. Il me faudrait une dizaine d'hommes. Les autres demeureront près du bateau.

Des volontaires se présentent. Je consulte les Zintrépides.

— On ne restera pas spectateurs, Billy Stuart, résume Galopin. On bouge !

Nous voici donc en train d'avancer sur un sentier, dans la jungle, sous une chaleur torride.

Chacun guette la présence d'animaux sauvages, mais aucun **CRI** ou **BRUIT** suspect ne vient les trahir. Ils sont très discrets, ou ils n'existent pas. Je préfère cette deuxième hypothèse.

À mesure qu'on progresse, le paysage est peu changeant : une forêt dense aux arbres bizarres avec des **TRONCS** larges, des feuilles immenses et des lianes qui pendent un peu partout. Quelqu'un ayant de l'imagination pourrait croire qu'il s'agit de serpents…

Il n'y manque que Tarzan, l'homme-singe… Aucun lien, toutefois, avec mon beau-frère poilu…

Parfois, des fleurs inconnues, aux COULEURS SPECTACULAIRES, poussent ici et là. Elles sont fréquentées par de gigantesques insectes, gros comme ma main ; on dirait des libellules. Leur bourdonnement est inquiétant et dérangeant à la fois.

Après une heure de marche, le capitaine annonce une pause.

Je m'assois sur un tronc d'arbre mort, renversé au sol.

— Tu es songeur, Billy Stuart, remarque Foxy qui s'installe près de moi. Qu'est-ce qui te tracasse ?

De mon aumônière, je sors le carnet de mon grand-père Virgile. Je le feuillette distraitement. Au-delà des premières pages, il n'y a plus aucune inscription. Nous sommes dans le néant total.

— Tu vois, Foxy, je ne sais pas où l'on va. J'ignore si l'on suit encore les traces de mon grand-père.

Bzzzzzzzzzzzzzzzzzzzzzzzzzzzzz

Un insecte bourdonne au-dessus de nos têtes. Foxy est pétrifiée ; moi, je n'ose bouger de peur de l'exciter davantage.

La bestiole, énorme, se pose sur mon museau ! À vue de nez, comme ça, j'affirme que je louche et qu'il s'agit d'une libellule, mais je ne connais pas sa marque…

> Billy Stuart voulait sûrement signifier : son espèce. Toutefois, je préfère laisser le tout ainsi : c'est plus rigolo !

Yéti, la belette, s'approche, les poings serrés.

— Tu souhaites que je **l'écrabouille** sur ta **bouille** ?

— Surtout pas, lui dis-je dans un chuchotement, comme si je craignais que l'insecte ne m'entende…

— C'est comme une grosse libellule, indique Muskie. Je peux l'arroser, Billy Stuart, si tu le désires… et si tu te la boucles.

Re-non ! lui fais-je savoir avec mes mains.

Galopin examine l'insecte. Il en salive presque.

— Je pourrais en faire une bouchée, Billy Stuart, propose-t-il.

Re-re-non ! Je sens la libellule agrippée à mon museau. Si elle est touchée par la langue du caméléon, j'aurai un sérieux problème lorsque Galopin rembobinera.

Puis, sans doute lassé de son point de vue, l'insecte décolle, voltige autour de ma tête, frôle mes oreilles et se pose délicatement sur les pages du carnet.

Voilà ma chance !

Je referme vivement le carnet.

CLAC !

PROUIIIIIIIIITTT !

— Euaaaaaaaaark! font les Zintrépides.

J'aperçois une goutte de liquide vert qui coule du carnet et longe une des pattes maigres qui en sort. Elle gigote encore un peu. Puis plus rien.

Avec précaution, j'ouvre le carnet. La libellule agit comme un marque-page, un signet… Elle est écrasée et répandue sur les deux pages.

J'en ai des haut-le-cœur…

La renarde arrache une large feuille d'un arbre et me la tend pour essuyer les dégâts. Tenant le carnet au bout de mon bras, je chasse la tache tenace.

Encore une fois, exercice de prononciation. Répétez avec Billy Stuart : Je chasse la tache tenace avec du chasse-tache.

— OOOOOOOOH! s'exclament les Zintrépides.

Ça parle aux millions d'écrevisses de la rivière Bulstrode!

Le liquide vert dévoile un autre secret contenu dans le carnet.

Sur la page de droite sont apparus le dessin d'un œil immense et une inscription à la main. C'est L'ÉCRITURE de mon grand-père Virgile !

« Sois prudent, Billy Stuart. Quelqu'un sur l'île t'a à l'œil… »

Vous m'accorderez une dernière faveur, cher public lecteur. Le titre mérite une explication. Perspicaces comme vous l'êtes, vous aurez remarqué que le total de dangers ne s'élève pas au millier.

Si l'on tient le compte, on se souviendra de la tempête, du trop grand calme qui a suivi, de la mutinerie, de l'oiseau rokh, de la poulpe[1] et des sirènes (les crabes, direz-vous? Ils étaient sur la plage et dans le sable, et non dans la mer). On en est à six dangers en tout. Par contre, Billy Stuart m'a juré que quelqu'un avait évalué le nombre de sirènes à... 995.

Donc, si l'on résume: 995 sirènes + la tempête + l'absence de vent pendant plusieurs jours + la mutinerie + le rokh + le poulpe = 1 000 dangers.

Ainsi, nous légitimons le titre: « La mer aux mille dangers ».
Avouez qu'il s'agit de toute une coïncidence, non?
Comme l'exprimerait Billy Stuart: Ça parle aux millions d'écrevisses de la rivière Bulstrode!

Et ici, on peut écrire le mot **FIN**

---

1. Si vous étiez attentifs et attentives, vous aurez noté mon erreur volontaire: on doit dire le poulpe et non la poulpe.

CHERCHE ET TROUVE

Peux-tu repérer ces éléments dans le livre ?

RECHERCHÉ

Solution à la page 141

SOLUTIONS

DRÔLES DE TÊTES! (P. 14)

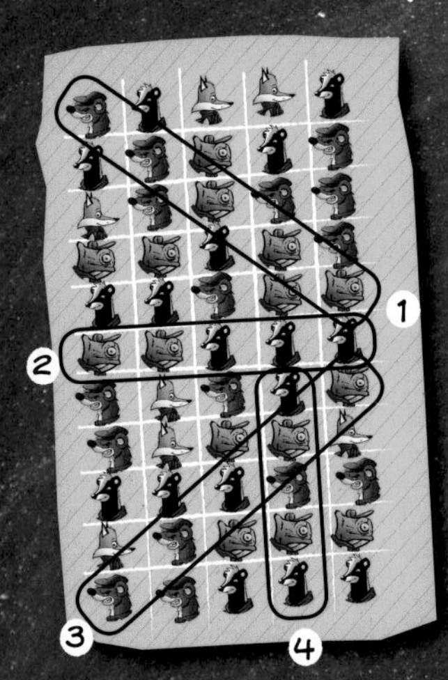

LE DÉFI DU MARCHAND (P. 20)

BILLY VA D'ABORD PESER DEUX GROUPES DE TROIS ÉCREVISSES (UN GROUPE SUR CHAQUE PLATEAU). SI LA BALANCE PENCHE D'UN CÔTÉ, C'EST QUE L'ÉCREVISSE LA PLUS LOURDE SE TROUVE SUR CE PLATEAU. SI LA BALANCE EST STABLE, C'EST QUE LES ÉCREVISSES SONT TOUTES DE MÊME POIDS. PAR CONSÉQUENT, L'ÉCREVISSE LA PLUS LOURDE EST DANS LE TROISIÈME GROUPE.

QUAND IL AURA DÉTERMINÉ LE GROUPE QUI CONTIENT LA PLUS GROSSE ÉCREVISSE, BILLY PLACERA UNE DE CES ÉCREVISSES SUR CHACUN DES PLATEAUX DE LA BALANCE. SELON LE RÉSULTAT, IL POURRA FACILEMENT DÉTERMINER SI L'ÉCREVISSE QU'IL CHERCHE SE TROUVE SUR LA BALANC OU SI C'EST CELLE QUI RESTE.

JEU DES COULEURS (P. 30)

LE JAUNE ET LE BLEU POUR QUE GALOPIN SOIT VERT DE PEUR.

LE JAUNE ET LE ROUGE POUR QUE LE CAMÉLÉON SOIT DE LA MÊME COULEUR QUE LE FRUIT.

LE BLEU ET LE ROUGE POUR QUE LES DEUX SOIENT DE TEINTE MAUVE.

ANAGRAMMES (P. 92)

REINES – SIRÈNES / MUTINERIE – MINUTERIE / PIERRE – PRIÈRE
GRANDE – DANGER

LES DEVINETTES (P. 96)

PREMIÈRE DEVINETTE – UNE ÉCREVISSE

DEUXIÈME DEVINETTE – LE TIMBRE SUR LA CARTE POSTALE DE BILLY

TROISIÈME DEVINETTE – ON L'IGNORE, IL CONTINUE D'Y RÉFLÉCHIR...

CHERCHE ET TROUVE (P. 138-139)

LA QUEUE DE GALOPIN – PAGE 34 / FROUFROU – PAGE 103
LES ÉTOILES – PAGE 76 / LE BARIL – PAGE 64 / LA ROCHE – PAGE 75
LA MAIN – PAGE 35 / LE TIMBRE – PAGE 101 / LA PEINTURE – PAGE 30

TABLE DES MATIÈRES